Sophie
e la carica delle cavallette

www.battelloavapore.it

Titolo originale: Sophie and the Locust Curse
© 2007 Stephen Davies per il testo
First published in 2007 by Andersen Press Limited.
All rights reserved. The rights of Stephen Davies to be identified
as the author of this work has been asserted by him in accordance
with the Copyright, Designs and Patents Act, 1988

Impaginazione e redazione: Studio Editoriale Littera

I Edizione 2010

© 2010 - EDIZIONI PIEMME Spa
        20145 Milano - Via Tiziano, 32
        www.edizpiemme.it - info@edizpiemme.it

Stampa: Mondadori Printing S.p.A - Stabilimento NSM - Cles (Trento)

Stephen Davies

Sophie e la carica delle cavallette

Traduzione di
Ilaria Fortuna

Illustrazioni di
Roberto Luciani

PIEMME Junior

*Questo libro è dedicato al popolo Fulani
del Burkina Faso:
Alla hokku jam*

1
Una strana notizia

– Buongiorno, – disse il padre di Sophie entrando in cucina – hai visto i miei occhiali da moto?

– No – rispose Sophie, mentre in punta di piedi rovistava nel ripiano alto della credenza. – E tu hai visto i cereali?

– Quando sono tornato dalla spedizione li avevo, ma non riesco proprio a ricordare dove li ho messi.

Il padre di Sophie era un botanico, arrivato in Africa Occidentale per studiare le piante carnivore. Erano tre anni ormai che vivevano in Burkina Faso, in una piccola città chiamata Gorom-Gorom.

Sophie ripose la ciotola nella credenza e prese un mango.

– Papà, dov'è il coltello per la frutta?

– Mai giocare con i coltelli – rispose lui mentre lasciava la stanza.

Sophie lo trovò e cominciò a sbucciare il mango velocemente, perché sapeva che Gidaado sarebbe potuto arrivare da un momento all'altro. Per Sophie era stato molto difficile ambientarsi quando era arrivata con suo padre in Burkina Faso, ma l'incontro con Gidaado aveva facilitato le cose: avere anche un solo amico suo coetaneo era meglio di niente.

Quello era giorno di mercato a Gorom-Gorom, perciò non c'era scuola e Gidaado aveva invitato Sophie ad accompagnarlo al suo villaggio per la "cerimonia del nome" di una sua cugina appena nata. Sophie era molto elettrizzata, perché non aveva mai assistito a una cerimonia del genere.

Tagliò il mango a cubetti e cominciò a mangiarlo, mentre una radio borbottava

sul tavolo della cucina: una donna leg-
geva le notizie in francese, la lingua
ufficiale in Burkina Faso. Sophie non
stava prestando molta attenzione, ma
quando sentì nominare Gorom-Gorom
drizzò le orecchie.

– *Si ritiene che Gorom-Gorom sarà la
prossima città colpita dai* sauterelles –
stava dicendo la giornalista. – *La scorsa
notte hanno portato distruzione a Djibo
e ad Aribinda e questa mattina si stanno
spostando a est verso Gorom-Gorom. Nel
nostro programma del mattino* Svegliati
con Fatimata *il generale Alai Crêpe-Sombo ha criticato il governo per la "risposta
lenta e inadeguata" alla crisi crescente...*

– Papà! – urlò Sophie. – Cosa sono i
sauterelles?

Dallo studio, le giunse fioca la voce del
padre. – Li ho trovati, grazie! – rispose.
– Erano in bagno, pensa un po'!

Sophie sospirò. Forse i *sauterelles* erano geni, spiritelli dispettosi del deserto,
o forse erano mostri metà uomini e metà

rane. Dopotutto, in francese *sauter* non significava forse "saltare"? Sophie andò alla finestra e sbirciò fuori, quasi aspettandosi di vedere un'orda di geni o di mostri saltellare verso casa, ma l'unica cosa che vide furono alcuni fringuelli e i girasoli di suo padre ondeggiare per la brezza mattutina.

Uno sbuffo improvviso dalla strada la fece sobbalzare, poi sentì un rumore metallico che proveniva dal cancello e infine vide sbucare una sottile mano nera che armeggiava col chiavistello all'interno.

– Papà! – urlò Sophie. – Gidaado è arrivato, non dimenticarti di venirmi a riprendere al suo villaggio stasera!

– No, grazie, tesoro – le rispose lui dall'altra stanza. – Ne ho già prese due tazze stamattina.

– *Salam alaykum* – disse Gidaado, conducendo il suo cammello bianco attraverso il cancello.

– *Alaykum asalam* – rispose Sophie.

Gidaado aveva in mano un lungo bastone di legno e in testa indossava il morbido copricapo tradizionale dei griot.

I griot erano cantastorie e musicisti di professione: conoscevano migliaia di racconti, indovinelli e canzoni ed erano anche esperti di storia familiare. Quando c'era una festa importante, un matrimonio o una cerimonia del nome, uno o due griot venivano invitati a cantare la storia degli antenati del padrone di casa.

– Hai trascorso la notte in pace? – chiese Sophie in fulfulde, la lingua locale di Gorom-Gorom. Abitando lì da tre anni la parlava correttamente, sebbene ancora con un lieve accento inglese.

– In pace assoluta. Ti sei risvegliata in pace? – rispose Gidaado.

– In pace. Come sta Chobbal?

– In pace –. Gidaado accarezzò il candido collo del cammello inginocchiato accanto a lui. Gli aveva dato il nome del suo piatto preferito, il *chobbal*, una specie di budino di riso.

Sophie si sedette sulla sella e appoggiò i piedi nella U del collo dell'animale; Gidaado saltò dietro di lei, alzò il bastone e fece schioccare la lingua. Le zampe posteriori di Chobbal si distesero e i ragazzi dondolarono in avanti, poi anche quelle anteriori si allungarono e i due amici si trovarono molto in alto.

– Gidaado, che cosa sono i *sauterelles*? – chiese Sophie quando si mossero. – Alla radio hanno detto che stanno venendo verso Gorom-Gorom, ma non so cosa siano.

– Ah, non chiedermelo! Forse quegli uccellini lassù conoscono il francese meglio di me – rispose l'amico.

Sophie rise. Sapeva che Gidaado non andava a scuola e quindi la sua domanda era stata un tentativo inutile. Anche se era la lingua ufficiale del Burkina Faso, in pochi parlavano francese: lì a Gorom-Gorom parlavano tutti fulfulde.

– Stai tranquilla. Sono sicuro che non è niente di importante – aggiunse Gidaado.

Sophie non ne era molto convinta, ma cercò di non pensarci. – Sei pronto per la cerimonia del nome? – gli chiese dopo un po'.

– Certo. La bambina è mia cugina, quindi quando canterò il *tarik*, sarà quello dei *miei* antenati. Niente di più facile – rispose Gidaado.

– E canterai da solo?

– Forse no, dovrebbero esserci anche altri griot di Giriiji.

Chobbal uscì dal cancello e si incamminò verso il mercato. I ragazzi venivano cullati dolcemente avanti e indietro dal movimento del cammello.

Uno strillone camminava per la via e battendo sul suo tamburo urlava a gran voce: – VACCA ROSSA PEZZATA! AVVISTATA L'ULTIMA VOLTA MERCOLEDÌ MATTINA MENTRE PASCOLAVA VICINO TONDIAKARA! CHI SA DOV'È, CONTATTI YUSUF DIKKO!

A Gorom-Gorom Sophie sentiva gli strilloni praticamente ogni giorno: an-

nunciavano cerimonie del nome, matrimoni, funerali e messaggi da parte delle autorità cittadine. Se in città cominciava un programma di vaccinazioni, uno strillone informava la popolazione. Se veniva commesso un crimine, uno strillone andava in giro a chiedere informazioni. Ma gli annunci più comuni erano le descrizioni di mucche scomparse. A Gorom-Gorom c'erano migliaia di vacche che ogni giorno lasciavano la città per andare a pascolare nella macchia, e ogni sera qualcuna non faceva ritorno.

Ridacchiando tra sé, Gidaado chiese a Sophie: – Che differenza c'è tra uno strillone e un asino?

– Non lo so.

– Se gli dai una bastonata, l'asino smette di ragliare.

Sophie non rise. – Sta solo facendo il suo lavoro. Fermati, Gidaado, voglio chiedergli cosa sono i *sauterelles*.

– Non è una buona idea chiedere una

cosa così intelligente a uno strillone. Non sa nemmeno se è mattina o sera.

Sophie si incupì. Cosa rendeva un griot tanto presuntuoso da permettergli di prendersi gioco degli altri e del loro lavoro?

– *Excusez-moi, monsieur* – chiese quando raggiunsero lo strillone. – Parla francese?

Lo strillone smise di battere sul tamburo e la guardò. – Ti sembro forse un maestro di scuola? – le disse in fulfulde.

– No – rispose Sophie.

– O uno scolaretto?

– No.

– E allora che me ne faccio del francese? – replicò lo strillone.

– Non lo so, – rispose Sophie imbarazzata – pensavo solo che...

– Mio nonno e il padre di mio nonno parlavano forse francese? – continuò lui, spalancando le braccia.

– No – ripeté Sophie, e diede una gomitata a Gidaado che ridacchiava alle

sue spalle. – Ma ha sentito le notizie di oggi? – chiese di nuovo allo strillone.

– Sì. Yusuf Dikko ha perso una vacca rossa pezzata; avvistata l'ultima volta mercoledì, al pascolo vicino...

– Intendo notizie veramente brutte, come un pericolo che si sta avvicinando.

– Sono uno strillone. So solo di mucche smarrite, capre ritrovate e bambini appena nati. Se vuoi notizie veramente brutte, ascolta la radio.

– È quello che ho fatto, ma nessuno qui intorno sa dirmi di cosa si tratta – rispose allora Sophie.

Lo strillone si accigliò e se ne andò battendo sul suo tamburo. – VACCA ROSSA PEZZATA! AVVISTATA L'ULTIMA VOLTA MERCOLEDÌ MATTINA MENTRE PASCOLAVA VICINO TONDIAKARA! CHI SA DOV'È, CONTATTI YUSUF DIKKO!

– Grazie per l'aiuto – borbottò Sophie.

– Andiamo, che facciamo tardi alla cerimonia – la esortò Gidaado alle sue spalle. Poi, roteando il bastone in aria, urlò: – *HOOSH-KA!* –. Chobbal cominciò a correre e Sophie si aggrappò alla sella appena in tempo per non essere disarcionata.

– Gidaado! – urlò Sophie. – Lo sai che gli animali non devono correre all'interno del mercato!

– Non sta correndo, sta trottando – rispose lui. – *HOOSH-BARAKAAAA!*

Chobbal andava così forte che le capanne e i banchetti ai lati della via divennero una massa indistinta. La brezza scompigliava i capelli di Sophie e le soffiava calda sulle palpebre.

– Ora sì che sta correndo! – disse Gidaado.

2
Sam Saman

SOPHIE URLÒ DI NUOVO. Galoppare al mercato non era come galoppare nel deserto: non solo era proibito, ma era anche pericoloso. Le strade del mercato di Gorom-Gorom brulicavano di persone che, sentendo rumore di zoccoli, si girarono e videro un cammello bianco puntare dritto su di loro. I bambini scappavano, le persone sulle biciclette sterzavano e i vecchi saltavano da un lato con un'agilità straordinaria.

Proprio davanti a loro c'era una donna con un piatto di pesce sulla testa e un bambino dietro la schiena, che piangeva talmente forte da impedirle di sentire il rumore di Chobbal. Sophie chiuse gli occhi e tirò bruscamente a destra le redini dell'animale, che andò a finire in un chiosco di frutta. Un'esplosione gialla e verde fece sparpagliare ovunque banane, guava e mango. Il proprietario del chiosco si avvicinò ai ragazzi con aria minacciosa, rivolgendo loro parole non proprio carine da dire.

Gidaado gridò: – C'è mancato poco!

– E ti sembra poco? – disse Sophie, pulendosi la faccia dalla poltiglia di mango.

Poiché si trovavano nei pressi della stazione di polizia al confine della città, un uomo in elegante uniforme color cachi uscì in strada e fece segno ai due ragazzi di fermarsi. Ma Chobbal non rallentò l'andatura.

– *Arrêtez!* – urlò l'uomo, allungando la mano verso la fondina.

– Gidaado! – urlò Sophie.

Gidaado guardò verso il poliziotto e agitò il bastone.

– Zio Dembo! – gli urlò. – Siamo in ritardo per la cerimonia del nome di Ibrahiim!

L'espressione severa del poliziotto si mutò subito in un ampio sorriso. – E allora corri, Gida – urlò in fulfulde. – E scusami con Ibrahiim: oggi non potrò venire, perché sono in servizio tutto il giorno!

Al confine di Gorom-Gorom di lì a poco sarebbe stato posizionato un ripetitore telefonico, il primo in tutta la provincia. Una folla di bambini curiosi stava a distanza di sicurezza e guardava a bocca aperta gli operai che sistemavano i cavi dell'antenna.

Il mercato del bestiame e la torre dell'acqua furono superati in un lampo e la strada si interruppe bruscamente. Chobbal galoppava sulla sabbia con molta agilità.

Guardandosi indietro, Sophie vide l'enorme cartello di benvenuto alla città, scritto in francese e in fulfulde:

BIENVENUE À GOROM-GOROM! GOROM-GOROM WI'I BISMILLAHI!

– Benvenuti a Gorom-Gorom – lesse Sophie e pensò di nuovo ai *sauterelles*, che proprio in quel momento erano diretti lì. Che cos'erano? Forse delle gigantesche piante carnivore, che avrebbero dato a suo padre qualcosa da studiare. Vivevano lì da tre anni e non aveva ancora trovato qualcosa di veramente spettacolare. Ma poi Sophie pensò che uno di quei *sauterelles* avrebbe potuto mangiare suo padre in un solo boccone senza dargli nemmeno il tempo di montare il microscopio.

La voce di Gidaado nelle sue orecchie interruppe questi pensieri. – La vedi quell'enorme roccia bianca laggiù? – le chiese il suo amico, indicandola col bastone.

– Sì – rispose Sophie.

– È Tondiakara, lì di notte vanno gli stregoni a sacrificare i polli!

20

– Caspita! – rispose Sophie.

– E lo vedi quell'albero con quel frutto rotondo che pende?

– Sì, è una *calebasse*, vero?

– Non è solo una vecchia *calebasse* – rispose Gidaado. – È la *calebasse* di Sheik Amadou. Sheik Amadou siede sotto quell'albero tutti i giorni, dall'alba al tramonto, per meditare sulle inutili sofferenze del mondo.

– E perché ora non è seduto lì?

– È in ospedale – rispose Gidaado. – Un frutto di *calebasse* gli è caduto in testa giovedì scorso.

Sophie guardò il deserto tutto intorno a lei. Era piatto e anonimo tranne che per pochi rovi sparsi qua e là. Nessun *sauterelles* per ora, pensò, a meno che non avessero dei travestimenti perfetti.

Chobbal emise uno sbuffo di rabbia e cominciò a dare sgroppate su e giù mentre correva.

– Che gli succede? – urlò Sophie. Si voltò e vide cosa non andava: un ragazzo alto correva dietro di loro sulla sua bici, tenendo con una mano il manubrio e con l'altra la coda di Chobbal.

– Lascialo, Saman! – urlò Gidaado.

– *Salam alaykum*, denti di scinco – disse il ragazzo. – Ti sei svegliato in pace? Dove andate oggi di bello tu e la tua ragazza bianca?

– Lei non è la mia... LASCIALO! –.

Gidaado si allungò e tentò di prendere le redini.

Il ragazzo non mollava e rideva con un suono stridulo e impertinente. – Che cammello strano! Fa sempre su e giù con la gobba quando corre? – gridava.

– Gidaado, – bisbigliò Sophie – usa il bastone.

– Ah, sì! – disse allungandosi il più possibile, e inserì l'estremità del suo bastone tra i raggi della ruota anteriore della bici. Sophie sobbalzò e chiuse gli occhi.

– Tranquilla, sta bene – disse Gidaado un momento dopo. – La sabbia è un atterraggio bello morbido.

– Ma chi è? – chiese Sophie.

– Sam Saman. È uno dei griot di Gorom-Gorom – rispose Gidaado.

– Non gli sei molto simpatico, vero?

– No. Saman e io ci conosciamo da tanto. Sarà bene che nei prossimi giorni ci guardiamo le spalle, Sophie. Sam Saman non è un griot che perdona facilmente.

Sophie guardò l'ora e disse: – A proposito di griot, pensi che i griot di Giriiji cominceranno il *tarik* senza di te? Siamo proprio in ritardo.

Gidaado rise.

– Cominciare senza di me? – disse. – Puoi fare i mattoni senza la terra? Puoi fare il *chobbal* senza latte?

– No.

– E quindi? Il mio ruolo nel *tarik* è fondamentale. I griot di Giriiji preferirebbero rompersi i loro *hoddu* sulla

24

testa piuttosto che cominciare il *tarik* senza di me.

L'*hoddu* era una chitarra a tre corde usata dai griot per accompagnare le loro storie.

– Non capisco perché sei così indispensabile – disse Sophie. – Pensavo che il *tarik* fosse solo un elenco di nomi.

– Non sai proprio niente del *tarik* – rispose offeso Gidaado. – Non si tratta di un semplice elenco. È come la spina dorsale di un uomo, come le radici di un albero, come l'acqua in cui nuota un pesce. Lo troviamo quando nasciamo, e ne diventiamo parte quando moriamo. Il *tarik* è la struttura della nostra vita, è la luce splendente in fondo al pozzo della Storia.

– Il pozzo della Storia – ripeté Sophie. – Ooooh, *profondo!*

– Sì, sì, scherzaci pure sopra – disse Gidaado. – La gente come te non sa niente di Storia. E anche se la Storia vi cascasse in testa come la *calebasse* di Sheik Amadou, non ve ne accorgereste;

e anche se la Storia vi urlasse nelle orecchie attraverso Furki Baa Turki, non la sentireste!

Sophie aveva sentito urlare Furki Baa Turki ed era certa che Gidaado si sbagliasse. Furki Baa Turki era uno degli strilloni della città, ma aveva la voce più forte di tutti gli strilloni della provincia. Quando faceva gli annunci al mercato, i proprietari dei banchi si tappavano le orecchie e chiedevano pietà. E poi, pensò Sophie, come si permetteva Gidaado di parlare così? E, arrabbiata, rimase seduta in silenzio. Dietro di lei, Gidaado canticchiava a bassa voce.

«Sta ripetendo il *tarik*» pensò Sophie. «Spero dimentichi le sue battute nel bel mezzo della cerimonia.»

Chobbal, intanto, continuava a galoppare, facendo oscillare i ragazzi avanti e indietro. Il sole era sempre più alto, e dopo un po' Sophie prese dallo zaino una bottiglia d'acqua e un tubetto di crema solare. Gidaado, da dietro, le prese le

26

redini così da permetterle di spalmarsi la crema sul viso e sulle braccia.

– Sei ancora arrabbiata? – chiese.

– Sì – rispose lei, nascondendo un sorriso.

Erano le undici quando i due raggiunsero i campi di Giriiji, il villaggio di Gidaado. Le colture degli abitanti erano rigogliose e fiorenti: migliaia di piante di miglio, ciascuna col suo prezioso bottino di freschi granelli dorati. La mietitura era vicina.

Infine arrivarono a un piccolo gruppo di capanne costruite con mattoni di fango. Vicino a una di queste, gli uomini e le donne di Giriiji erano seduti sulle stuoie, all'ombra di una grande acacia.

Sophie sentì il secco rumore della *calebasse*.

– Non ci credo!!! – disse Gidaado.

– Cosa?

– Hanno cominciato il *tarik* senza di me! – rispose Gidaado.

3
La morte rosa

– *BAHAAT-UGH!* – urlò Sophie in "cammellese" per dire *ferma*.

Chobbal slittò fino a fermarsi e Gidaado saltò giù dalla gobba posteriore. Cadde a terra, si alzò, si ripulì e corse verso la stuoia dei musicisti, dove lo stava aspettando la sua chitarra a tre corde. Sophie scese con più attenzione e raggiunse gli altri spettatori.

– Mio fratello Amidou, stesso padre, stessa madre, sangue del mio sangue – cantava il primo musicista. Sophie lo riconobbe, era Ibrahiim, lo zio di Gidaado, il capo dei griot di Giriiji. Al suo fianco c'erano i cugini di Gidaado, Hassan e Hussein, che battevano felici su un paio di *calebasse*. Gidaado si sedette al loro fianco e cominciò a pizzicare il suo *hoddu*.

– Amidou, marito di Bintu la bella, fratello di Alu il temerario – cantava lo zio Ibrahiim. – Alu il temerario che lottò contro un leone e fece tante altre cose coraggiose e sciocche.

– È vero! – urlò Gidaado.

Sophie osservò la nonna di Gidaado seduta su una delle stuoie delle donne: aveva lunghi lobi e la sua pelle era rugosa come una noce; aveva gli occhi semichiusi e muoveva la testa ai colpi di *calebasse*.

– Amidou e Alu, figli di Hamadou, figlio di Yero, il figlio di Tijiani – cantava Ibrahiim.

– È vero!

– Tijiani, il cui cammello Mariama Matta correva più veloce dell'*harmattan*, il vento del deserto.

– È vero!

A Sophie sembrava che il ruolo di Gidaado nel *tarik* fosse molto meno affascinante di quanto le avesse fatto credere. Ma forse il meglio doveva ancora arrivare.

– Tijiani, figlio di Haroun.

– È vero!

– Marito di Halimatu la terribile, che faceva musica con le sue ascelle.

– È vero!

– Figlio di Salif, figlio di Ali, figlio di Gorko Bobo.

– È ve...

– FERMI! – gridò il capo.

Lo zio Ibrahiim smise di cantare e batté le palpebre rapidamente come se si fosse svegliato di colpo, le *calebasse* dei gemelli interruppero il loro *clic clac* e Gidaado mise giù l'*hoddu*, guardando stupito il capo villaggio. Una donna con una bambina al petto uscì dalla capanna di fango più vicina, tremando di rabbia e puntando il dito contro il capo. – Come osi interrompere il *tarik*, figlio di uno scinco! – urlò.

Gli abitanti del villaggio restarono a bocca aperta. Lo scinco era una grossa lucertola, e non era una cosa carina da dire a nessuno, tanto meno al capo villaggio.

– Bintu – sussurrò nervosamente un uomo in prima fila. – Bintu, non parlare così!

– E come dovrei parlare? Ha rovinato il *tarik* e disonorato la memoria dei nostri antenati!

Gli abitanti del villaggio erano attoniti.

Questa era un'accusa seria. Gli sguardi ora erano rivolti verso Al Hajji Diallo, capo di Giriiji.

L'uomo lentamente alzò gli occhi al cielo.

– Guardate! – urlò.

Si voltarono tutti.

Lontano, verso ovest, una nuvola rosa, come una nube di polvere, si stava

addensando, infittendosi man mano che si avvicinava.

Nel deserto una nube di polvere di solito era una cosa buona, perché significava l'arrivo della pioggia.

– *Zorki* – disse lo zio Ibrahiim.

Non era una nube di polvere. Mentre si avvicinava, Sophie si accorse che quella nuvola era fatta di milioni di puntini rosa guizzanti e stranamente belli.

– *Zorki!* – disse la donna con la bambina.

– Cosa c'è? – chiese la nonna di Gidaado ad alta voce. – Perché il *tarik* è stato interrotto? Che succede?

– La morte rosa – rispose il capo. – La morte rosa sta arrivando!

– *Zorki!* – urlò la nonna di Gidaado.

I puntini sciamarono verso i campi e cominciarono ad atterrare. Cadevano come pioggia, non più puntini, ma creature vive. L'aria era piena di zampe, ali e mandibole. «Ecco cosa sono i *sauterelles*» pensò Sophie. «*Locuste.*»

In un attimo Sophie si ritrovò a correre con Gidaado verso le piante di miglio. E guardava colpevole la lunga falce ricurva che aveva in mano. «Mai giocare con i coltelli» le diceva sempre suo padre. Se avesse potuto vederla in quel momento i suoi occhiali si sarebbero appannati e le avrebbe fatto la predica raccontando di Hibata Zan che correva a scuola con un paio di forbici in mano. Poverina! Ora portava la benda sull'occhio.

– Gidaado,

perché la chiamano "la morte rosa"? –
chiese Sophie mentre correvano.

– Beh – le rispose. – Le locuste sono
rosa e mangiando il raccolto portano...
lo sai, no?

– Capisco.

Arrivati al campo di Gidaado, il ra-
gazzino le fece vedere come mietere il
miglio: – Il fusto nella sinistra, la falce
a destra e poi taglia.
Ora prova tu –
disse.

Le due
falci an-
davano
e i fusti
di miglio
cadevano
qua e là.
Sophie sen-
tiva, da ogni la-
to, il lavoro frenetico
degli altri mietitori. Tutti gli abitanti di
Giriiji, vecchi e giovani, si affannavano

insieme per salvare il raccolto: quello era il loro cibo dell'anno venturo.

Una locusta atterrò sul fusto proprio di fronte a Sophie, afferrò il miglio con le zampe e cominciò a masticare. Un'altra volò sulla sua faccia, lei gridò e la cacciò via. Tagliò il fusto con la falce, ma subito altre due locuste vi si posarono sopra. Sophie le lasciò cadere e le schiacciò. *Crac, crac!*

Era circondata da insetti, non c'era una singola spiga di miglio senza due, tre o quattro locuste, e anche quello già mietuto ne era pieno.

Sophie vide le locuste divorare il raccolto di Giriiji e a stento riuscì a frenare le lacrime.

4
Gioia e dolore

LE OMBRE DEL GIORNO si stavano allungando mentre il sole lentamente calava all'orizzonte.

La gente di Giriiji prese posto sotto l'acacia sulle stesse stuoie che aveva abbandonato in tutta fretta quella mattina. Le piante di miglio intorno a loro sembravano un'armata conquistata: migliaia di fusti senza cima erano la testimonianza della disastrosa battaglia della giornata.

Gli abitanti del villaggio avevano fatto del loro meglio per salvare il raccolto, ma avevano comunque perso. Le locuste avevano divorato fino all'ultimo chicco di miglio ed erano volate via soddisfatte, dirigendosi verso sud per compiere altre devastazioni.

Ora la gente di Giriiji, sconfitta ed esausta, era seduta a fissare il sole al tramonto. Sophie, sulla stuoia dei bambini, a gambe incrociate, guardava il bordo della grande sfera rossa baciare l'orizzonte e scomparire.

Al Hajji Diallo sedeva nella sua sedia di vimini, circondato dagli altri anziani, e alla luce del crepuscolo sembrava vecchio e fragile. Si schiarì la gola e cominciò a parlare con la sua voce calma e bassa.

– Il Signore dà e il Signore toglie. Benedetto il nome del Signore – diceva.

Ci fu un lungo silenzio. Una lucertola dal collo rosso si avvicinò a Sophie, muovendosi su e giù come se stesse facendo le flessioni, poi scappò via. Nessuno parlava.

– Benedetto il nome del Signore –

ripeté il capo. – Lui sa perché queste cose accadono.

Uno degli anziani pronunciò un «amen» a voce bassa.

– Oggi – continuò il capo – celebriamo la nascita di Miriama, la figlia di Amidou e Bintu. Ora che il sole è tramontato, cominciamo la danza.

Sophie non poteva credere che dopo tutto quello che era successo, volessero continuare la danza. Mai nella sua vita aveva avuto così poca voglia di ballare.

Lo zio Ibrahiim si avvicinò lentamente, si tolse i sandali e salì sulla stuoia dei musicisti. Si sedette, posizionò l'*hoddu* e cominciò a suonare.

La musica di Ibrahiim era melodica e mistica. Sophie la conosceva bene: Gidaado gliel'aveva suonata una volta e lei non era più riuscita a togliersela dalla mente.

Il deserto gioisce e io con lui,
lode al Creatore.

Gli abitanti del villaggio sedevano immobili sulle stuoie e ascoltavano. Sophie ripensò a quanto quella mattina si fosse svegliata felice, così tanto emozionata all'idea di trascorrere un giorno al villaggio di Gidaado e partecipare alla cerimonia del nome. Stava canticchiando proprio quella canzone mentre si lavava i denti e senza accorgersi aveva spruzzato un po' di dentifricio sullo specchio.

Il deserto gioisce e io con lui,
lode al Creatore.

La luna era alta e illuminava debolmente il paesaggio tutto intorno.

Senza dire una parola, la nonna di Gidaado si alzò, fece qualche passo in avanti zoppicando e cominciò a ballare. Strusciava i piedi da un lato all'altro, facendo oscillare le braccia al suono della musica e mormorava tra sé.

Un'altra donna anziana si alzò e la raggiunse. Ignorando il pubblico,

strusciavano i piedi, facendo dondolare le braccia e sorridendo.

Il deserto danza e io con lui,
lode al Creatore.

A uno a uno gli abitanti del villaggio si alzarono e cominciarono a danzare tra i raccolti devastati. Sophie avrebbe voluto tanto unirsi a loro, ma era molto triste per gli avvenimenti della giornata. Domani o dopodomani, forse, avrebbe ballato, ma non oggi.

Gidaado spuntò fuori dal nulla e si sedette accanto a lei; guardavano in silenzio gli uomini e le donne di Giriiji muoversi al chiaro di luna. Alla fine Gidaado parlò: – Sophie, hai presente quando stai seduto vicino al fuoco e le scintille ti fanno piccole bruciature sui piedi e sulle gambe?

– Sì – rispose Sophie.

– Noi griot diciamo che quelle scintille sono come il Dolore.

– E allora?

– E hai presente quando mungi una mucca e le gocce di latte schizzano dal secchio e ti bagnano la faccia e le braccia?

– No – rispose Sophie.

– Beh, succede. E noi diciamo che quelle goccioline sono come la Gioia.

– E quindi?

– E quindi niente. La vita è un misto di queste due cose, ecco tutto. Scintille e gocce. Dolore e Gioia.

– Vai pure a ballare, se ti va – rispose Sophie. – Io voglio stare da sola.

Erano le nove passate quando il padre di Sophie arrivò sulla sua moto. I suoi occhi, dietro gli occhialini, erano grandi e preoccupati.

– Scusami, tesoro, sono in ritardo – disse senza fiato. – Stai bene?

– Sto bene – disse Sophie salendo sulla moto dietro di lui. – Ma il miglio no.

– Sono arrivate anche a Gorom-

Gorom. Le *sauterelles* si sono spiacci-
cate sui miei occhiali durante tutto il
tragitto fino a qui.

– Sai come le chiamano gli abitanti
del villaggio? – chiese Sophie. – "Morte
rosa."

Suo padre annuì e tirò fuori un piccolo barattolo: dentro c'era una locusta
con le zampe anterio-
ri appoggiate sul
vetro, come se
stesse chieden-
do di essere
liberata. – La
farò man-
giare dalla
mia piglia-
mosche del
deserto – le
disse suo pa-
dre – per stu-
diare quanto
tempo impiega
a digerirla.

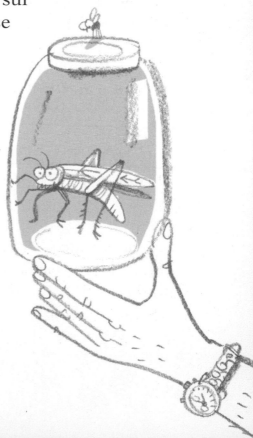

– Buona idea, papà – disse Sophie.

Suo padre pigiò bruscamente sull'accensione e la moto si avviò con un rombo; non appena lui diede gas, Sophie gli mise le braccia intorno alla vita e si allontanarono nella notte.

Lungo la strada, il faro della moto illuminava la sabbia bianca e qualche arbusto. Sophie notò che lo sciame di cavallette li aveva privati delle foglie. Non poteva fare a meno di pensare a Gidaado e a sua nonna. Non avrebbero avuto miglio quest'anno. Come avrebbero fatto a sopravvivere?

5
I fiori ballerini

SOPHIE NON VEDEVA Gidaado da
diversi giorni.

Tentò di concentrarsi sui compiti da
fare, ma niente sembrava interessar-
la più di tanto. La morte rosa aveva
distrutto tutti i campi intorno a Gorom-Gorom e una muta disperazione
incombeva sulla città. Al mercato il
prezzo per un sacco di miglio era più
che raddoppiato e le persone avevano
difficoltà a comprare cibo. Tutti tranne
Sophie e suo padre.

La mattina presto, nel giorno di mercato, Sophie stava finendo di mangiare i

cereali, quando sentì un forte: – *Bahaat-ugh!*

Guardò fuori dalla finestra e nel cortile vide Chobbal inginocchiato. Gidaado scivolò dalla parte posteriore del cammello e lo accarezzò affettuosamente.

– Lo so che hai fame, – gli disse – ma ti prego, non mangiare i girasoli del signor Brown.

Sophie andò alla porta per accoglierlo.

– *Salam alaykum*, Gidaado!

– *Alaykum asalam*, Sophie. Ti sei alzata in pace?

– In pace, grazie. Come state al villaggio?

– In pace. Non ci sono problemi.

Sophie sapeva che non era vero, dato che a Giriiji c'era una carestia. Ma quando si salutava qualcuno in fulfulde era importante fingere che tutto andava bene.

– Come sta tua nonna?

– In pace. Come sta tuo padre?

– In pace. È nello studio ad armeggiare con la sua acchiappamosche.

– Che Dio gli dia pace.

– Amen. Dai, andiamo in camera mia.

Gidaado la seguì in camera e si sedettero. La stanza, paragonata a quella che Sophie aveva nella sua vecchia casa, era piuttosto spoglia ma confortevole. C'erano una zanzariera appesa sul letto, una scrivania di legno e uno scaffale per i libri di scuola.

– Come stai, Gidaado?

– In pace. Ho perso il lavoro.

– Che vuoi dire?

– Mio zio mi ha cacciato dal suo gruppo musicale. Dice che devo trovare un altro lavoro, così possiamo guadagnare più soldi per vivere.

Sophie ci pensò un po' su. Lo zio probabilmente aveva ragione: se lui e Gidaado lavoravano separati e non insieme, potevano guadagnare il doppio.

– E chi prenderà il tuo posto nel gruppo?

– Forse Hassan, e Hussein suonerà la *calebasse* da solo.

– Non saranno così bravi senza di te – lo confortò Sophie.

– E non hai ancora sentito la cattiva notizia – continuò lui. – Indovina mio zio che lavoro vuole che faccia?

– Pescivendolo?

– Peggio.

– Ammaestratore di leoni?

– Peggio.

– Mi arrendo.

– Lo strillone.

– Ma non è poi così male! – cercò di rincuorarlo Sophie. – Sono sicura che sarai un bravo strillone.

Gidaado sbuffò. – Sophie, tu pensi ancora che un griot e uno strillone siano praticamente la stessa cosa. Beh, non lo sono! Sono diversi come lo sono uno stallone e uno scinco.

«Oh, no, di nuovo» pensò Sophie.

– Il griot è un artista – continuò Gidaado, alzandosi in piedi. – Il griot plasma le parole in modo tale che ti prendano lo stomaco e ti facciano emozionare.

Con i canti voli più alto di un'aquila del deserto, e con i discorsi cavalchi i vasti oceani della saggezza. Se un griot canta la *Ballata di Safietu e Pullori*, il suo villaggio piangerà per molti giorni; se recita le conquiste di Ousmana Dan Fodio, le mucche si sveglieranno a causa del rumore che fanno le ginocchia degli infedeli. Se racconta le storie delle Dieci piaghe d'Egitto o dei Gemelli onniscienti di Timbuktu, i principi si terranno strette le vesti e ne chiederanno ancora.

– E lo strillone, invece, cosa fa? – gli chiese lei.

– Lo strillone va solo in giro per la città a urlare.

Sophie scosse la testa. – Io, invece, penso che fare lo strillone sia un bel lavoro.

– Giusto! – rispose Gidaado. – Allora, tu penserai anche che pulire il recinto dei cammelli sia un bel lavoro. E questo perché l'unica cosa che hai fatto nella tua vita è andare a scuola, sederti alla scrivania e...

Gidaado si interruppe quando guardò lo scaffale.

– Cosa sono quelli? – chiese, indicando una mensola.

Sullo scaffale, vicino ai libri c'erano tre fiori di plastica, uno giallo, uno arancione e uno rosso. Avevano gli occhiali da sole e grossi sorrisi.

– Oh, sono finti – rispose Sophie. – Sono fiori ballerini.

– Stai scherzando!

Sophie allungò la mano verso la sua scatola di cassette e prese *Greatest Hits* di Ali Farka Touré, un cantante del Mali che Gidaado le aveva consigliato. Le sue canzoni erano un misto tra la musica tradizionale dei griot e il blues americano. Sophie amava questo album e lo ascoltava tutte le volte che si sentiva un po' giù.

Sophie accese il registratore e inserì la cassetta. Aveva chiesto un Ipod per Natale,

ma suo padre non era stato d'accordo.

«Come fai a scaricare le canzoni?» aveva detto. «Non troverai mp3 nel deserto!» aveva aggiunto. «Non guardarmi così» aveva continuato. «Le cassette vanno benissimo.»

Sophie pigiò PLAY e l'assolo di una voce africana ruppe il silenzio con una nota prolungata. Era Ali Farka Touré. I fiori di plastica cominciarono a dondolare.

Poi si aggiunse il familiare clic clac di dita con anelli su una *calebasse* e una voce femminile; i fiori rispondevano muovendo la testa e dondolando. Gida-ado li guardava pieno di stupore.

– Ma come...?

– Pile – disse Sophie.

– Il mondo è amaro – cantava la voce maschile in fulfulde.

– Il mondo è dolce – rispondeva il coro femminile. Attenuati sotto le voci c'erano il picchiettio sulla conga e i dolcissimi *slide* di chitarra.

– Alla conga c'è il fratello di Ali, Omar Farka Touré, e alla chitarra c'è suo cugino – disse Gidaado.

– Lo so.

– Scommetto che Ali Farka Touré non caccerebbe mai via la *sua* famiglia dal gruppo – disse Gidaado. – Scommetto che non chiederebbe mai a Omar di andare a fare lo strillone.

– Aspetta, ora arriva il meglio – lo interruppe Sophie.

I cantanti si interruppero mentre aumentò in velocità e volume il suono della conga e della *calebasse*, con un ritmo allegro e contagioso. I fiori ballerini danzavano, e con quegli occhiali e i sorrisi enormi, facevano un effetto esilarante. Gidaado trattenne una risata mentre Sophie cadde sul letto ridendo in modo incontenibile.

– Indovina come li ho chiamati? – chiese Sophie tra le lacrime dal troppo ridere.

– Come?

– Salif, Ali e Gorko Bobo.

– Dandogli questi nomi hai disonorato i miei antenati – disse lui con tono severo.

– Penso proprio di sì!

Gidaado finse di accigliarsi ed entrambi continuarono a ridere.

– Ora devo andare – disse Gidaado, asciugandosi gli occhi. – Idrissa Gorel ha perso una vacca e mi ha chiesto di annunciarlo oggi al mercato degli animali.

– Va bene –. Sophie premette STOP e i fiori ballerini si fermarono.

– Augurami buona fortuna – disse Gidaado uscendo dalla stanza. – Se andrà male, io e mia nonna siamo morti.

– Non esagerare – gli gridò Sophie con un nodo in gola.

6
Al mercato

IL MERCATO DEGLI animali era lontano dalla casa di Sophie, a nord di Gorom-Gorom. Quando Sophie arrivò, il caldo si era un po' attenuato e tirava una brezza leggera. Salutò il guardiano al cancello e si immerse nella folla di compratori, venditori e "chiacchieroni".

Il mercato era un ampio spazio recintato, diviso in aree per i diversi animali. Sophie si trovava proprio in mezzo, i bovini erano davanti a lei, i cammelli dietro, a sinistra c'erano le pecore e le capre e a destra gli asini. Tutt'intorno c'era una massa di esseri umani che chiacchieravano, litigavano e contrattavano. Alcuni li riconosceva come abitanti della città, ma la maggior parte erano pastori di remoti villaggi come Giriiji, Yengerento e Bidi. Sophie si diresse verso le mucche.

Di solito era facile distinguere i compratori dai venditori. I compratori indossavano lunghe vesti e osservavano gli animali con occhi attenti e calcolatori, i venditori, invece, avevano abiti semplici, stavano in piccoli gruppi, appoggiati sui loro bastoni, e facevano finta di non guardare i compratori. Il terzo gruppo, i chiacchieroni, era lì solo per parlare.

Di solito il mercato di animali di Gorom-Gorom era un posto divertente. Dopotutto quella era la capitale sociale dell'intera provincia, un posto dove ritrovarsi con gli amici e ammirare belle mucche dalle lunghe corna.

Oggi, però, l'atmosfera era pesante. Sophie sentiva ripetere in continuazione

le parole «morte rosa» con lo stesso tono grave che si usa ai funerali. Oggi l'unico argomento di conversazione al mercato sembravano le cavallette.

– Mercoledì sono arrivate a Yengerento – stava dicendo un pastore accanto a Sophie.

– Sono come un terribile esercito.

– Sì – rispose l'amico. – Le locuste non hanno pietà.

– Non c'è mai stata carestia peggiore di questa – disse un altro. – Non dalla grande carestia del 1972.

– Che il Signore ci aiuti – rispose un altro.

– VACCA ZEBÙ MARRONE! – urlò una voce alle spalle dei pastori. – AVVISTATA L'ULTIMA VOLTA LUNEDÌ PRESSO IL BAOBAB DI JAWJAW! CONTATTARE IDRISSA GOREL!

Sophie riconobbe la voce, si immerse nella folla, e lì di fronte a lei vide Gidaado Quarto.

– *Salam alaykum* – gli disse.

– VACCA ZEBÙ MARRONE! – le urlò Gidaado nell'orecchio. – L'HAI VISTA?

– No – rispose Sophie, massaggiandosi l'orecchio. – E mi sorprende che non ti abbiano ancora arrestato.

– Questo è il lavoro più insulso che esista – disse Gidaado. – Dieci anni di preparazione per diventare un griot e che fine ho fatto? Grido in cerca di una vacca zebù marrone.

Sophie stava per replicare qualcosa quando Gidaado le afferrò il braccio e se la tirò dietro tra la folla. Si riparò dietro una mandria di grossi buoi neri e si accovacciò.

– Da chi ci stiamo nascondendo? – chiese Sophie.

– Da Sam Saman. L'ho visto venire verso di noi!

– È ancora arrabbiato per l'altro giorno? – gli domandò Sophie. Non poteva fare a meno di ridere al pensiero della scena del bastone nei raggi della bici.

– No. È solo felice di vedermi fare lo

strillone. Mi ha seguito tutto il giorno, vantandosi e chiedendomi se ero contento del mio nuovo lavoro.

– Ma guarda il lato positivo: vieni pagato per i tuoi annunci! – gli rispose Sophie.

– Solo se la mucca viene ritrovata.

Sophie si accigliò. Non era per niente giusto.

– Ti dico io qual è il lato positivo – continuò Gidaado. – Almeno mio padre non è qui per vedere suo figlio fare lo strillone.

Sophie guardò altrove. Sapeva che il padre di Gidaado, Alu il Temerario, era morto quando suo figlio aveva sette anni. Poi Sophie pensò a sua madre. Era morta da tanto, ma le mancava ancora.

– Guarda! – urlò Gidaado.

C'era agitazione tra il bestiame. Un toro spaventato si era allontanato dal suo gruppo e si era precipitato tra la folla, mugghiando di rabbia. La gente strillava e scappava ovunque, tranne un pastore coraggioso che si era tuffato sulla coda dell'animale aggrappandosi forte perché l'animale scalciava furiosamente. Altri due pastori corsero in suo aiuto: uno fece passare un cappio intorno alla zampa posteriore destra del toro e strattonò; l'altro tentò di afferrare una zampa anteriore, saltando avanti e indietro per evitare le lunghe corna.

L'animale impazzito era troppo forte. Strappò via la corda dalle mani del pastore e cominciò di nuovo a caricare, trascinandosi dietro l'uomo. Sophie urlò. Il toro correva proprio verso di lei. Quindici metri, dieci, cinque. Un uomo alto e magro con una pistola si mise prontamente davanti a Sophie, prese la mira e sparò. L'animale barcollò e cadde ai suoi piedi. Un polverone rosso riempì l'aria.

– NO! – urlò Sophie. – Cosa avete fatto?

Gidaado la prese per il braccio. – È tutto a posto – la rassicurò. – È una

pistola soporifera. Spara una freccia che addormenta il toro.

Sophie si sentì molto sciocca. Sapeva tutto delle pistole sedative ma non aveva pensato di poterne trovare una a Gorom-Gorom.

– Succede spesso?

– Sì – le rispose Gidaado. – Con così tanti animali e la folla stipati tutti insieme, non è strano che qualcuno di loro si spaventi. È un bene che ci sia qualcuno che abbia una pistola soporifera pronta all'uso.

Sophie respirò profondamente per calmarsi e cercò di ricordare di cosa stavano parlando prima di essere interrotti dal toro.

– Quello che hai detto su tuo padre, che sei contento che non sia qui a vederti... Non dicevi sul serio, vero?

– Certo che sì! – rispose lui. – È disonorevole per un griot lavorare come strillone.

– Ma, Gidaado, lo stai facendo per aiutare la tua famiglia!

– Aiutarli e disonorarli allo stesso tempo. Fantastico!

Sophie pensò di nuovo a sua madre. Cos'è che ripeteva sempre? «Qualsiasi cosa tu faccia, Sophie, falla nel miglior modo possibile. Mettici anima e corpo.»

– Ora sei uno strillone – disse Sophie con franchezza. – Cerca di essere un bravo strillone.

Gidaado la guardò come se la vedesse per la prima volta. – Lessati il cervello! – disse, e se ne andò.

7
Lo strillone migliore di Gorom-Gorom

SOPHIE NON VIDE Gidaado per una settimana intera, non sapeva nemmeno se fosse ritornato al suo villaggio o se stesse da qualche parte a Gorom-Gorom. Ma il giorno di mercato, di buon'ora, mentre si versava i cereali, Sophie sentì il familiare «*Bahaat-ugh!*» fuori dalla finestra, e uscì in giardino.

– *Salam alaykum* – disse Gidaado mentre scivolava dalla parte posteriore di Chobbal. Sophie lo guardò. Era la sua immaginazione o Gidaado era dimagrito?

– *Alaykum asalam* – rispose. – Ti sei svegliato in pace?

– In pace. Come sta tuo padre?

– In pace. E tua nonna?

– In pace. È arrabbiata con me perché non ho i soldi per comprarle le medicine questa settimana.

– Non è colpa tua.

Gidaado strisciò i piedi per terra. – Ho provato a dirglielo.

– E lo zio Ibrahiim? – gli chiese Sophie. – Non può aiutarvi?

– In questi giorni il gruppo di mio zio non sta lavorando. Da quando è arrivata la morte rosa, la gente ha smesso di invitare i griot alle cerimonie. Dicono che il *tarik* è una spesa inutile. Ma come possono dire che il *tarik* è «inutile»? Se smettiamo di cantare il *tarik* alle nostre cerimonie del nome tanto varrebbe che fossimo tutti morti.

Sophie non sapeva cosa dire e seguì un lungo silenzio. Finalmente Gidaado parlò ancora e Sophie si sentì sollevata.

– Sophie – disse. – Scusa se ti ho detto di lessarti il cervello.

– Non fa niente.

– Sono felice che non lo hai fatto, – continuò lui – perché ho bisogno del tuo aiuto. Mi servono solo alcune parole in francese.

– Cosa devi dire?

– Solo: «Hai visto la mia mucca?».

Sophie rifletté per un momento. Si diceva *mon vache* o *ma vache*? Forse *ma*.

– *Est-ce que tu as vu ma vache*? – gli rispose.

– *Est-ce que tu as vu ma vache*? – ripeté Gidaado.

– Bravo!

Gidaado si voltò e risalì su Chobbal. – Solo un'altra cosa – disse. – Puoi prestarmi Salif, Ali e Gorko Bobo?

– Ma certo.

– Ho riflettuto su quello che mi hai detto – continuò lui, incrociando i piedi sulla U del collo di Chobbal. – Sarai felice di sapere che oggi intendo essere lo strillone migliore che Gorom-Gorom abbia mai visto.

– Fantastico! – disse Sophie e corse dentro a prendere i fiori ballerini.

Quando nel pomeriggio Sophie arrivò al mercato, non ci mise molto a trovare Gidaado.

Era seduto su una stuoia al centro della piazza, dietro di lui era inginocchiato Chobbal, il cammello albino, e davanti aveva i fiori ballerini. Intorno c'era una folla di pastori e abitanti della città. Sophie fu contenta di vedere che Gidaado aveva il suo *hoddu*.

– VACCA DI CINQUE ANNI, MUSO MARRONE, CORPO BIANCO, GRANDI MAMMELLE! – stava urlando Gidaado. – VISTA L'ULTIMA VOLTA A GOROM-GOROM. CONTATTARE BELKO SAMBO!

– Sono io! – disse un pastore raggrinzito in prima fila, voltandosi e facendo cenno alla folla.

Gidaado mise l'*hoddu* dritto di fronte a lui e cominciò a pizzicare le corde: ne

uscì una melodia piena di trilli e abbellimenti. I fiori ballerini cominciarono a ballare e la folla rideva, indicava e batteva i piedi a ritmo di musica. Gidaado fece un respiro tanto profondo che il suo corpo si gonfiò e cominciò a cantare:

Niente latte da martedì,
vorrei esser morto,
il mio caffè è nero
e il mio chobbal è asciutto.

Ritorna,
ritorna,
oh, Grandi Mammelle ritorna da me.
Niente latte da martedì,
la gente non frodo,
sono in grande ansia,
sono magro come un chiodo.

Ritorna,
ritorna,
oh, ritorna Grandi Mammelle da me.

Niente latte da martedì,
odio protestare,
ma il latte in polvere Bestlé
non è uguale.

Ritorna,
ritorna,
oh, ritorna Grandi Mammelle
da meeeeeeeeeeee!

Gidaado diede tre forti colpi sulla cassa del suo *hoddu* e sorrise al pubblico. – VACCA DI CINQUE ANNI, MUSO MARRONE, CORPO BIANCO, GRANDI MAMMELLE! – strillava. – VISTA L'ULTIMA VOLTA A GOROM-GOROM. CONTATTARE BELKO SAMBO!

– L'ho vista quella vacca! – gridò un ragazzo emozionato. – È a Bidi ora. Se ne sta occupando Mariama, la moglie del *marabout*.

– Tutto risolto – disse Gidaado, accordando l'*hoddu*. – E ora passiamo alla prossima canzone. Immaginate, se

potete, una mucca zebù magrolina, appartenente a una certa Jibi Sisse. Gialla con macchie rosse. Vista l'ultima volta vicino a Djinn Rock, a est di Aribinda. Questa canzone è molto sofisticata e ha un verso in francese. Ringraziamenti speciali vanno alla mia amica Sophie Brown che mi ha aiutato nella traduzione.

Sophie cercò di non arrossire, ma non ci riuscì. Gidaado ricominciò a pizzicare le corde, respirò profondamente e cominciò a cantare:

La mia mucca magrolina
si è smarrita una mattina
è gialla e rosso pezzata.
Se non la ritrovo
sarà affamata e assetata
e i geni in testa l'avranno assaltata.

Qualcuno ha visto Zampe Magre?
Est-ce que tu as vu ma vache?
Se una mano a trovarla mi darai
tante monete riceverai.

Sette lunghi giorni ho girato
in lungo e in largo,
per sentire di Zampe Magre
almeno il MUU,
ma ho visto solo le sue impronte
nella sabbia laggiù,
e sentito solo l'odore della sua...

– Mi scusi, signor strillone – disse un uomo in fondo alla folla, alzando timidamente la mano. – Vende cassette con la sua musica?

Gidaado lo guardò. – Certamente no! – rispose. – Non sono così bravo! Bene, dov'ero rimasto? –. Respirò profondamente e aprì la bocca per cantare.

– Mi scusi, signor strillone – lo interruppe Sophie, pensando in fretta. – Pensa che sia possibile registrare una cassetta e farne qualche copia per il mercato della prossima settimana?

Gidaado la guardò. Lei gli faceva l'occhiolino in segno di intesa e faceva energicamente sì con la testa.

Per un momento Gidaado la guardò in modo assente, poi un ampio sorriso gli illuminò il viso.

– Va bene – disse. – Perché no?

8
Marie

LA FASE DI REGISTRAZIONE durò più di quanto Sophie si immaginasse. Gidaado era bravo ma ogni volta che lei gli avvicinava il microfono alla bocca e premeva RECORD, lui si agitava e sbagliava le parole. Alla fine però riuscirono a registrare le versioni quasi perfette di dieci canzoni sulle mucche perdute.

Sophie si divertì a illustrare le copertine delle cassette: su ciascuna disegnò la testa di una mucca, con occhioni smarriti e la lingua penzoloni. Sulla mucca scrisse a lettere bombate: *Greatest Hits di Gidaado il griot*. Sul retro disegnò il simbolo del diritto d'autore e poi, con la sua calligrafia migliore, scrisse i titoli delle canzoni:

1. Smarrito sotto i cieli d'Africa
2. Dove sei Mucca Marrone?
3. Nessuno ha visto la mia Zampe Magre?
4. Perderti
5. Da quando Margherita mi ha lasciato
6. Assente ingiustificata
7. Mi manchi Coda Sporca
8. Niente latte da martedì
9. Non ho trovato ancora quello che cerco
10. Zebù Blues

Gidaado chiese a Sophie di registrare una traccia omaggio *Sam Saman ha la faccia da scinco*, ma lei rifiutò perché non era conforme con l'album.

Gidaado fu felicissimo quando le cassette furono pronte.

– Sai, Sophie, come ho sempre detto, il lavoro di strillone non è poi così male.

– Giusto – sorrise Sophie.

– Hai visto la faccia di Belko Sambo quando ha sentito che Grandi Mammelle è stata ritrovata? Era entusiasta.

– Sì – rispose Sophie. – Mio padre aveva la stessa faccia quando ha trovato la sua prima acchiappamosche del deserto.

– È ovvio! Dovrò fare molta pratica prima di riuscire a strillare forte come Furki Baa Turki – le rispose Gidaado, poi inspirò profondamente.

Sophie ridacchiò e si mise le dita nelle orecchie.

Il giorno di mercato Gidaado andò di buon mattino a casa di Sophie per decidere dove avrebbero posizionato il banco.

– Possiamo usare la postazione di Salif dan Bari – disse Sophie. – L'altro giorno è stato morso da una corda nel suo campo ed è ancora ricoverato.

Da quelle parti nessuno chiamava "serpente" un serpente perché si pensava che usando quella parola, il serpente più vicino avrebbe pensato di essere chiamato e sarebbe arrivato. Così, si usava la parola "corda".

Quando i ragazzi arrivarono al mercato trovarono infatti che il banco dell'incantatore di corde era vuoto. Gidaado appoggiò attentamente il vassoio con le cassette su una tavola retta da cavalletti. Sophie, invece, da un lato dispose i fiori ballerini, e dall'altro il registratore. Poi, inserita una cassetta, premette PLAY.

– Oh, no! – disse Gidaado. – Guarda chi arriva.

Sam Saman veniva proprio verso il loro banco.

– *Salam alaykum* – disse.

Gidaado non rispose. Guardava oltre la spalla del ragazzo come se qualcosa avesse catturato la sua attenzione.

– *Alaykum asalam* – gli rispose Sophie.

– Gidaado, sembri dimagrito – disse Saman. – Qualcuno potrebbe pensare che non stai mangiando.

Gidaado fissò negli occhi il suo rivale e la sua mano si strinse in un pugno.

– Non lo fare! – gli sussurrò Sophie. – Se cominci una lotta, verremo cacciati dal mercato e non ce lo possiamo permettere!

Saman prese una delle cassette dal vassoio e derise il disegno in copertina.

– Che capra carina.

– È una mucca – replicò Sophie.

– *Greatest Hits di Gidaado il griot* – lesse Saman. – Ma non dovrebbe essere *Gidaado lo strillone*?

Sophie allora alzò al massimo il volume del registratore.

– SMARRITO SOTTO I CIELI D'AFRI-CA!!! – strillava la voce di Gidaado dagli altoparlanti e i fiori ballerini si muovevano così forte che pareva stessero per spezzarsi. Saman parlava ancora, ma Sophie e Gidaado non sentivano una parola; sghignazzavano però perché Saman apriva e chiudeva la bocca come un pesce. Alla fine Saman si stufò e se ne andò.

Gidaado allora abbassò il volume e le chiese: – Ora vorresti o no aver messo quella traccia in più?

– Eh, sì.

I rumori forti in un mercato attirano sempre folla, e presto, intorno al banco di Gidaado, si radunò un grande pubblico in ascolto delle canzoni sulle mucche smarrite.

– Sophie – le chiese Gidaado sottovoce. – Quante cassette dobbiamo vendere?

Sophie guardò i suoi appunti.

– Beh, se ne vendiamo due, possiamo comprare le medicine per tua nonna. Se ne vendiamo cinque, possiamo prendere anche un sacco intero di miglio.

– E se le vendiamo tutte? Posso comprare un telefonino?

– Ovviamente! – sorrise Sophie.

La folla sembrava divertirsi con le

cassette. Quando si arrivò al coro di *Dove sei Mucca Marrone?*, molti ridevano e altri battevano il tempo. *Nessuno ha visto la mia Zampe Magre?* ebbe ancora più successo.

– Cento franchi a cassetta – diceva Gidaado quando anche l'ultima nota di Zebu Blues era finita. La gente lo guardava e poi andava via un po' alla volta. Un uomo cominciò a contare i pochi spiccioli che aveva in mano, ma poi scrollò la testa e andò via.

– Ma perché non comprano? – si chiese Sophie.

– Non lo so. Forse cento franchi sono troppi se non hai scorte di miglio.

Se n'erano andati tutti, tranne una ragazzina, ben vestita e con una borsa di pelle di cammello. Aveva i capelli tinti di un rosso scuro e divisi in dozzine di complicate treccine.

«È carina» pensò Sophie. «E solo quell'acconciatura deve essere costata un centinaio di franchi.»

– *Excusez-moi, monsieur* – disse la ragazza a Gidaado. – *J'aime bien votre cassette.*

Gidaado sorrise affettatamente e annuì. Naturalmente non capiva una parola.

– Ne prenderò una – gli tradusse Sophie in fulfulde e poi si rivolse alla ragazza dai capelli rossi.

– *Comment t'appelles tu?* – le chiese in francese. – Come ti chiami?

– Marie – rispose la ragazza.

– Non parli fulfulde, Marie?

– No. Parlo solo francese, moré e diula.

– Da dove vieni?

– Dalla capitale, Ouagadougou. Mio padre è il generale Alai Crêpe-Sombo. Forse ne hai sentito parlare.

– No – le rispose Sophie.

– Deve fare un discorso qui a Gorom-Gorom per lanciare la sua campagna elettorale.

– Che bello! – rispose Sophie. – Beh,

allora, Marie, comprerai una cassetta?

– Quanto costa?

– Milleduecento franchi.

La ragazza spalancò gli occhi. – È un po' cara.

– Sì, lo è – rispose Sophie sbuffando. – Ma Gidaado IV è il miglior griot della provincia.

– Oh, beh, allora, in questo caso... –. Marie tirò fuori un borsellino rosso, e cominciò a frugare tra un mucchio di biglietti. Sophie sorrise tra sé.

Gidaado stava a guardare confuso, poi si piegò verso la ragazza e le prese la cassetta. Lei lo guardò.

– *Cadeau* – disse lui, con un sorriso grosso come il suo viso.

Cadeau era "regalo" in francese.

– *Merci beaucoup* – rispose Marie con un sorriso grazioso; mise la cassetta in borsa, girò i tacchi e andò via, mentre Gidaado continuava a sorriderle.

Per un momento Sophie fu troppo arrabbiata per parlare.

– PERCHÉ LO HAI FATTO? – sbottò alla fine.

– Mi dispiaceva per lei – le rispose Gidaado.

– Ti dispiacevi per lei?

– È una straniera qui, Sophie. E tu più di chiunque altro dovresti sapere come ci si sente.

– Ma lo sai quanto ti stava per pagare la tua povera piccola straniera?

– Quanto? – chiese Gidaado con interesse.

– Tanto da farti comprare le medicine per tua nonna e due sacchi di miglio – rispose Sophie, premendo il tasto EJECT così forte che la cassetta saltò fuori e ricadde per terra. Si mise il registratore sotto braccio, agguantò i fiori ballerini e se ne andò.

Due minuti dopo era di ritorno.

– Pensavo non parlassi francese – disse, fissando Gidaado dritto negli occhi.

– No, infatti. Ma tutti conoscono la parola *cadeau*. La usavamo con i turisti quando eravamo piccoli e a volte ci davano dolci e penne.

– Tipico – disse Sophie, e se ne andò di nuovo.

9
Una nuova possibilità

SOPHIE ERA DISTESA sul letto a fissare un geco sul soffitto. Era giorno inoltrato e si sentiva appiccicaticcia a causa del caldo insopportabile. Delle mosche giravano pigramente intorno alla stanza e qualcuna, ogni tanto, andava a sbattere contro la zanzariera bianca sospesa sul letto.

Sulla mensola più in alto Ali Farka Touré canticchiava piano nel registratore, ma i fiori ballerini erano chiusi nel cassetto. Sophie non voleva più vederli. Erano passati tre giorni dall'episodio del mercato e si sentiva ancora male. Il geco la guardò con i suoi occhi senza palpebre e li batté con aria di disapprovazione.

«Come ha potuto, Gidaado, buttare via la sua unica opportunità di fare un affare così? Dopo tutto quello che ho fatto per lui. La generosità è una cosa, l'imprudenza un'altra» pensò Sophie.

– DOMANI VACCINAZIONI CONTRO LA POLIO SULLA PIAZZA DEL MERCATO! – urlò una voce lungo la strada. Era uno degli strilloni della città, ma non era Gidaado. – PORTATE I VOSTRI BAMBINI! GRATUITO! PORTATE I BAMBINI! GRATUITO!

Sophie si voltò verso il muro e ripensò ai capelli rossi di Marie e alla borsetta di cammello, poi ricordò il modo stralunato in cui Gidaado la guardava. Lui era il solo amico che Sophie avesse a Gorom-Gorom, e non voleva che qualcuno rovinasse tutto. «Perciò sono arrabbiata?» si chiese. «Sono veramente così egoista?»

– GENTE DI GOROM-GOROM! – urlava

una voce dalla strada. «Un altro strillone» pensò. «Ma perché fanno i loro annunci durante le ore di riposo?»

– GENTE DI GOROM-GOROM! LA CORSA DI CAMMELLI DELLA PROVINCIA DI OUDALAN SI TERRÀ LUNEDÌ!

Sophie si alzò. «La Corsa di cammelli della Provincia di Oudalan. Gidaado, una volta, non aveva detto di volersi iscrivere con Chobbal? Ma lunedì è dopodomani!»

– TUTTI I PARTECIPANTI DEVONO PRENDERE LA PETTORINA CON IL NUMERO DALLA SEGRETERIA DEL SINDACO, IN COMUNE. I CAMMELLI SENZA NUMERO VERRANNO SQUALIFICATI!

Fantastico! Gidaado aveva un'altra possibilità di aiutare la sua famiglia! Ma dov'era adesso? Nel suo villaggio o a Gorom-Gorom? Doveva cercare di fargli avere questa notizia al più presto.

– I CAMMELLI SORPRESI A MASTICARE NOCI DI COLA PER

MIGLIORARE LE PRESTAZIONI VER-
RANNO SQUALIFICATI!

La voce dello strillone divenne più
fioca man mano che si allontanava. Sophie stette in ascolto finché la voce non
divenne un borbottio debole e distante,
poi aprì la zanzariera e saltò giù dal letto. Il geco la osservò infilarsi i sandali e
uscire dalla stanza.

– Papà! – chiamò Sophie, passando
vicino alla porta dello studio. – Devo
uscire!

– Due e trenta – disse una voce debole
dall'interno.

Sophie si richiuse la porta alle spalle, aprì il cancello di metallo e andò a
sbattere dritta su una fila di denti forti
che venivano dall'altra parte. Denti di
cammello.

– *Salam alaykum* – disse una voce
familiare.

Sophie si alzò da terra e si ripulì. Il
mattino dopo avrebbe avuto un grosso
bernoccolo sulla fronte, ma era contenta

di vedere Gidaado e Chobbal. – *Alaykum asalam* – rispose.

– Hai trascorso la mattina in pace?

– In pace. Come sta tua nonna?

– In pace. Le servono le medicine. Tu come stai?

– In pace. Scusa se l'altro giorno me ne sono andata via così!

– Non fa niente – disse Gidaado. – Scusami tu se ho regalato la nostra cassetta in quel modo.

– La *tua* cassetta – rispose Sophie. – Comunque, hai una seconda possibilità! Hai sentito la notizia?

– Della Corsa di cammelli della Provincia di Oudalan? Certo! Vengo proprio dal municipio.

– E...?

– E lunedì Chobbal indosserà il numero 10!

Sophie batté le mani – Che bello!

– E Sam Saman il numero 3.

– Questo non è tanto bello. Non sapevo avesse un cammello.

– Invece sì.

– È veloce?

– Come un fulmine. Si dice che il padre di Saman lo comprò qualche anno fa da... – Gidaado abbassò la voce fino a un sussurro – *Moussa ag Litni*.

– *Zorki!* – esclamò Sophie. Moussa ag Litni era uno spietato bandito tuareg che aveva addestrato i cammelli più veloci di tutta l'Africa Occidentale. Ag Litni non era più in libertà, ma certamente lo erano i suoi cammelli. – Puoi batterlo?

– Devo batterlo. Lo zio Ibrahiim dice che se Chobbal non vincerà la gara, dovremo venderlo.

Sophie era sconvolta. – E perché?

– Non abbiamo nient'altro da vendere – rispose Gidaado semplicemente. – Prima lo faremo, migliore sarà il suo prezzo.

Sophie non disse nulla, sentiva solo le lacrime pizzicarle gli occhi.

– Dai, su – la rincuorò Gidaado. – Se vinciamo la gara, il premio sarà una grossa pepita d'oro che risolverà i nostri problemi per qualche mese. Con una pepita si possono comprare almeno quindici sacchi di miglio. E se vinco la gara, Chobbal resterà con me.

– Beh, allora, sai cosa devi fare!

Gidaado annuì serio e accarezzò il collo bianco di Chobbal.

– Sì, – disse – dobbiamo correre più veloci del vento *harmattan*.

10
Tutto è pronto

IL LUNEDÌ MATTINA Sophie uscì di casa terribilmente agitata. Quel giorno ci sarebbe stata la quattrocentoquattre-sima Corsa di cammelli della Provincia di Oudalan, ma era la prima per Sophie, e teneva troppo al risultato per stare tranquilla. Era così nervosa che non era nemmeno riuscita a mangiare la sua solita tazza di cereali.

La corsa si sarebbe svolta su una vasta pianura di sabbia, al di là della roccia bianca di Tondiakara.

Quando Sophie arrivò c'era una moltitudine di abitanti della città e dei paesi vicini che parlavano allegramente in gruppi. In uno di questi c'era Salif dan Bari che raccontava la storia del morso della corda e spiegava come le sue pillole contro le corde lo avessero salvato. Da un'altra parte Belko Bembo mostrava il suo nuovo telefonino a un gruppo di allevatori stupefatti; più avanti Al Haji Wahib raccoglieva scommesse sulla corsa.

– Il favorito della corsa di oggi – diceva Al Haji Wahib – è Gobba Veloce, dato tre a uno e cavalcato dal campione in carica, Mustafa ag Imran. Poi c'è Fatwa, dato cinque a uno, cavalcato dalla stupenda Salimata bin Lina. Venite, gente, e fate le vostre scommesse!

Sophie andò verso la linea di partenza; in fondo a una delle sue estremità c'erano delle sedie di vimini su cui erano seduti il sindaco di Gorom-Gorom e i capi degli altri villaggi di Oudalan. Dietro la linea, quattordici cammelli andavano avanti e indietro. I fantini erano seduti dritti sulle selle ed evitavano

di guardarsi. Gidaado era lì, portava una maglietta da calcio col numero 10, che gli era stata prestata. Era piegato in avanti e mormorava nell'orecchio di Chobbal. Sam Saman era seduto su un cammello beige e guardava Gidaado con un sorrisetto compiaciuto.

– Ehi! Denti di scinco! – gridò Saman. – Ci sei anche tu! Sei così magro che faccio fatica a vederti!

Gidaado lo ignorava.

– Bel cammello – continuò Saman. – Come hai detto che si chiama?

– Chobbal.

– Un nome perfetto! Perché lo mangeremo a colazione! –. Saman rise alla sua stessa battuta e insieme a lui pochi altri corridori. Gidaado guardò fisso di fronte a sé e rafforzò la presa delle redini di Chobbal.

Hussein, il cugino di Gidaado, comparve vicino a Sophie; si salutarono e Sophie gli chiese dove fosse suo fratello Hassan.

– È a Giriiji con zio Ibrahiim. Stanno provando una canzone di elogio per il vincitore della gara.

– E perché non sei con loro?

– Io suono solo la *calebasse*, e inoltre devo andare a dirgli chi ha vinto, così possono fare le ultime modifiche.

Il chiasso della folla fu zittito all'improvviso da una voce così forte che la sabbia sotto i piedi di Sophie tremò. Guardò in alto con un sussulto e vide un omino barbuto in cima a Tondiakara, con un berretto rosso e occhiali scuri. Sophie lo riconobbe, era Furki Baa Turki, il più potente strillone di Oudalan.

– GENTE DI GOROM-GOROM! – urlò l'uomo saltellando da un piede all'altro. – Benvenuti alla quattrocentoquattresima Corsa di cammelli della Provincia di Oudalan!

– Non è straordinario? – rise Hussein, tappandosi le orecchie.

– Sia chiaro, per favore – urlò Furki

Baa Turki – che nella Corsa di cammelli della Provincia di Oudalan è severamente vietato mordere, e questo vale per tutti i partecipanti e i loro cammelli. Inoltre: NON si può saltare da un cammello all'altro, NON si possono afferrare le orecchie o le code, NON si possono sguainare le spade, e NON si può imprecare in fulfulde, francese, tamasheq, songhai, barbara, moré, diula o in arabo. L'espressione *Zorki* è ammessa, ma ogni partecipante può dirla solo tre volte. I corridori arriveranno fino all'albero di *calebasse* dello sceicco Amadou, gli gireranno intorno una sola volta e ritorneranno qui. Il primo cammello che supererà la linea sarà dichiarato vincitore, purché sulla sella abbia lo stesso fantino della partenza. La decisione finale spetta ai giudici. I giudici NON possono essere aggrediti alla fine della corsa. Il vincitore NON può essere strangolato. NON si può rubare la pepita d'oro del vincitore o della vincitrice e NON si può dichiarare guerra al suo villaggio. È tutto chiaro?

– SÌ! – urlarono i quattordici corridori nei loro vari dialetti, portando i cammelli alla linea di partenza.

– Bene – disse Furki Baa Turki. – È un grande onore per me introdurre la celebrità che oggi darà il via alla corsa. Ha fatto tutto il viaggio da Ouagadougou su una pista di terra battuta piena di buche, vomitando tutto il giorno, e la scorsa notte non ha chiuso occhio a causa dei muli, dei galli e dei cani selvatici che erano fuori dalla sua finestra. Diamo il nostro benvenuto al signor Isaaku Saodogo, capo collaboratore del collaboratore capo dell'Istituto di Ouagadougou per la pianificazione topografica e catastale!!!

Il pubblicò impazzì. Un omino in elegante completo bianco salì su Tondiakara e si avvicinò a Furki Baa Turki; aveva le borse sotto gli occhi e starnutiva.

– Il signor Saodogo ha una seria

allergia ai cammelli, e una ancora più grave alla polvere, ma nonostante ciò ci ha onorato della sua presenza oggi!

Il pubblico applaudì e pestò i piedi per terra in segno di apprezzamento, alzando così grosse nuvole di polvere rossa. L'uomo in bianco respirava a fatica, starnutiva tenendosi il colletto.

– Il signor Saodogo, un momento fa, mi ha avvertito che è completamente senza voce, così faremo a meno di discorsi e lo lasceremo proseguire e iniziare la gara. LA QUATTROCENTOQUATTRESIMA CORSA DI CAMMELLI DELLA PROVINCIA DI OUDALAN INIZIERÀ CON IL PROSSIMO STARNUTO DEL SIGNOR SAODOGO!!!

Ci furono applausi entusiasti dal pubblico, seguiti da insistenti *ssst* e poi silenzio: l'attenzione di tutti era rivolta alla figura in bianco. Era piegato in due, si sforzava di sbottonarsi il colletto, aveva gli occhi umidi e il naso gli si contraeva.

Un corridore tuareg si aggiustò l'abbondante turbante. Gidaado fece scorrere le dita sulle redini, guardando di fronte a sé, impassibile come un geco.

– ECCIÙ! – disse il signor Saodogo.

– *HOOSH-KA!* – gridarono quattordici voci e i cammelli partirono a gran velocità, pestando la sabbia con gli zoccoli.

11
La gara

– *HOOSH-BARAKAAAA!* – urlarono i corridori, cercando di raggiungere il prima possibile il ritmo pieno.

Per i primi cinquanta metri i cammelli galopparono tutti insieme, fianco a fianco, ed era difficile dire chi fosse in testa. Poi, uno dei corridori tuareg avanzò, superando gli altri: il suo abbondante turbante bianco fluttuava al vento e il suo cammello aveva una sella in pelle finissima con rifiniture in argento e oro.

– Quello è Mustafa ag Imran – spiegò Hussein. – È veloce e astuto, perciò

tienilo d'occhio; è lui il vincitore della corsa dello scorso anno.

Sophie cercò Chobbal, e lo vide sfrecciare come un lampo in quinta posizione. – Vai, Chobbal! – mormorava. – Metticela tutta.

In seconda posizione c'era una donna alta, dalla pelle chiara e dai capelli lunghi e scuri che le sventolavano alle spalle illuminati dal sole. Dondolava con grazia avanti e indietro al ritmo dell'andatura del cammello. Sophie l'aveva vista sulla linea di partenza e aveva notato le sue labbra tatuate di nero, un contrasto stridente con la sua pelle chiara.

Tra le donne Fulani tatuarsi le labbra era considerato bello.

– Quella è Salimata bin Lina – disse Hussein con devozione. – Guarda come corre.

In terza posizione c'era Saman, piegato in avanti sulla sua sella. In mano agitava un bastone di acacia che batteva con colpi secchi sul suo cammello.

Ogni volta che il cammello sentiva il colpo, scattava in avanti spaventato. Era crudele ma funzionava: colpo dopo colpo, Saman guadagnava terreno su bin Lina.

Mustafa ag Imran fu il primo a raggiungere l'albero di *calebasse*, e non appena gli ebbe girato intorno, afferrò un lungo ramo flessibile, lo spinse finché non poteva andare oltre, gli passò sotto e lo lasciò andare. Il ramo scattò indietro. Sam Saman lo vide giusto in tempo e lo evitò prontamente, ma Salimata bin Lina, correndo vicino a lui, fu meno fortunata: il ramo la colpì con uno sgradevole *tac* proprio sulle belle labbra tatuate, facendola cadere dal cammello.

– *Oooh!* – esclamò la folla.

Mustafa ag Imran guardò indietro ed emise una maligna risata gutturale, attutita dalle pieghe del turbante.

– Ma è permesso? – chiese Sophie a Hussein.

– Secondo te? – rispose Hussein. – Hai

forse sentito tra le regole che è vietato toccare l'albero di *calebasse*?

– No – rispose Sophie.

– Allora è permesso. È una superba mossa strategica.

I corridori avanzavano. Mustafa ag Imran era ancora in testa, Sam Saman secondo. Gidaado li seguiva in terza posizione, e aggirava in quel momento l'albero.

– VAI, GIDAADO! – urlò Sophie. – STAGLI ADDOSSO!

A ogni galoppata il cammello di Saman guadagnava terreno sul cammello del tuareg. I cammelli addestrati dal famoso bandito Moussa ag Litni erano noti per la loro resistenza, e la seconda metà della gara sarebbe sicuramente stata migliore per Saman. Bastonando selvaggiamente il suo cammello, Saman raggiunse Mustafa ag Imran dalla parte esterna, finché non fu a portata di mano, si piegò e afferrò l'estremità svolazzante del turbante del tuareg.

104

– *Zorki!* – esclamò la voce attutita di Mustafa ag Imran.

Saman strattonò il turbante, disarcionando quasi per metà il tuareg.

– *Zorki!* – ripeté ag Imran.

– *Bahaat-ugh!* – urlò Saman, e il suo cammello si arrestò di colpo. Poiché il cammello del tuareg continuava a correre, Saman afferrò il turbante con tutte e due le mani. Sophie rabbrividì. Mustafa ag Imran girò due volte su se stesso e cadde all'indietro, nella polvere.

– *Oooh!* – esclamò la folla, e poi ci fu l'inconfondibile rumore di chi strappava le ricevute delle scommesse.

– *Hoosh-ka!* – urlò Saman, e il suo cammello ripartì.

– È terribile! – disse Sophie. – Saman verrà *di sicuro* squalificato per questo.

– È proibito afferrare le orecchie o la coda, – replicò Hussein – ma tra le regole non ce n'è nessuna che vieti di tirare i turbanti. È una superba mossa strategica.

La breve fermata di Saman era proprio quello che serviva a Gidaado, che non era lontano dal passare al comando, e accorciava la distanza velocemente.

– VAI, GIDAADO!!! – urlò Sophie, saltando su e giù. – PUOI FARCELA!

Mancavano gli ultimi cento metri alla fine della corsa. Gidaado era acquattato sulla sella e la maglia numero 10 che gli avevano prestato si gonfiava per il vento. Chobbal era una macchia bianca,

correva più veloce di come Sophie l'avesse mai visto.

Saman si guardò alle spalle e si meravigliò quando vide Chobbal proprio dietro la coda del suo cammello. Si infilò la mano in tasca e la ritirò fuori stringendola a pugno. «Cos'ha lì?» pensò Sophie.

A ottanta metri dalla fine, Gidaado affiancava il suo rivale, i cammelli erano così vicini che i loro fianchi si toccavano. Sophie poteva vedere lo sguardo

concentrato di Gidaado che cercava di portare Chobbal in testa. Saman alzò il frustino e lo abbatté sulla schiena di Gidaado.

– *Oooh!* – esclamò la folla.

Sophie gridò di dolore come se fosse stata colpita al posto di Gidaado. – Di sicuro questo non è permesso! – urlò.

– Non c'è nessuna regola che vieti di frustare l'avversario – replicò Hussein. – Infatti è una superba mossa strat...

– NO! NON LO È! Quello che viene frustato è tuo cugino!

Lo scudiscio di Saman cadeva e ricadeva sulla schiena di Gidaado, che sussultava ogni volta, ma restava saldo in sella e manteneva lo sguardo fisso dritto di fronte a sé. Ci voleva ben altro che delle frustate per fargli perdere la gara.

Sophie si coprì gli occhi, sbirciando tra le dita, senza osare guardare. Il muso di Chobbal era avanti, poi tutta la testa, poi la testa e il collo. A cinquanta metri dalla fine anche la sua gobba era avanti. «Sta

vincendo!» pensò Sophie, senza osare crederci. «Chobbal sta vincendo.»

Gidaado superava Sam Saman della lunghezza di un cammello. Con un ghigno percepibile, Saman si allungò verso la coda di Chobbal. «Se la tira, verrà squalificato!» pensò Sophie tutta felice. Ma Saman non afferrò la coda. Ritirò la mano e riprese le redini del suo cammello. «Si è arreso!» pensò Sophie. «Sam Saman si è arreso!»

Chobbal era in testa e correva bene. Sophie riusciva a vedere il bianco degli occhi di Gidaado e il sudore sulla sua fronte. Sorrideva trionfante, consapevole che la corsa era sua. «Ha quasi vinto» pensò Sophie. «Chobbal ha quasi vinto! Gidaado non dovrà più venderlo. La gente di Giriiji potrà comprare il miglio e la nonna di Gidaado avrà le sue medicine!»

Ma poi successe. Il fianco candido di Chobbal tremò, i muscoli del collo si contrassero e gli occhi rotearono e cominciò a inciampare.

– *Oooh!* – esclamò la folla.

Chobbal barcollò per pochi passi, poi le zampe cedettero e lui cadde a terra a meno di dieci metri dal traguardo; anche Gidaado cadde all'indietro nella polvere. Ragazzo e cammello erano distesi fianco a fianco e non si muovevano.

Saman caricò, li superò e tagliò il traguardo. La folla applaudì, esultò e avanzò a fiotti accalcandosi intorno al cammello vincitore e intorno a Gidaado e Chobbal.

– ABBIAMO UN VINCITORE! – urlò Furki Baa Turki. – IL NUMERO 3, SAM SAMAN, HA VINTO LA QUATTROCENTOQUATTRESIMA CORSA DI CAMMELLI DELLA PROVINCIA DI OUDALAN!!!!!!!!

– No! – urlò Sophie e cominciò a farsi largo tra la folla.

– Il ragazzo sta bene – disse una voce femminile. – Sta riprendendo conoscenza.

Sophie raggiunse la prima fila.

Chobbal era a terra, completamente immobile, e un uomo alto e smilzo era piegato su di lui. «Dov'è che l'ho già visto?» pensò Sophie.

– Che succede? – esclamò, precipitandosi vicino al cammello abbattuto e carezzandogli le orecchie. – Perché ha collassato?

L'uomo si alzò e si infilò una cosa rossa in tasca.

– Non è grave – rispose. – Un accumulo di acido lattico, nient'altro.

Sophie lo fissò priva d'espressione.

– Una fitta di dolore – disse l'uomo. – Il cammello ha avuto una fitta per tutto quel correre.

– Sciocchezze! – urlò Sophie, e la folla inspirò bruscamente. – Una fitta può far male, ma non fa collassare!

– Davvero? – disse l'uomo, con gli occhi che brillavano d'ira. – Suppongo tu abbia una laurea in biologia veterinaria, vero? Hai mai visto un cammello colpito da una fitta?

Fu allora che Sophie lo riconobbe.

– No, mai – rispose lei, alzandosi lentamente. – Ma al mercato, la scorsa settimana, ho visto un toro steso da una freccia soporifera.

Un muscolo nel viso dell'uomo si contrasse, ma non disse nulla.

Gidaado ora era seduto, e scuoteva la testa a destra e a sinistra. Sam Saman superò la folla e si mise in piedi di fronte a lui.

– Bella gara – disse, sorridendo a Gidaado. – Verrai alla cerimonia di premiazione? Credo che il mio premio sia una pepita d'oro piuttosto grossa.

Sophie gli si avvicinò, il cuore le batteva.

– Quanto ti è costato, Saman? – gli chiese, cercando di tenere ferma la voce.

– Cosa? – le chiese.

– La freccia soporifera. Quanto l'hai pagata a quell'uomo?

Saman rise. – *Zorki!* Gidaado – disse. – Ma che le prende alla tua ragazza?

Penso che un genio dispettoso le sia saltato in testa, facendola straparlare.

Sophie divenne rossa di rabbia, chiuse il pugno e andò verso Saman. La folla si accalcava, sperando in una bella rissa.

Sophie sentì una mano sulla spalla: era Hussein.

– Lascialo stare, Sophie – disse. – Non c'è nessuna regola che vieta di usare il sonnifero.

– Va tutto bene, allora, vero? – disse Sophie. – TU penserai sicuramente che sparare quella freccia sul sedere di Chobbal sia stata una SUPERBA MOSSA STRATEGICA!

– No – rispose Hussein.

– Bene! Perché se lo dicevi, ne avrei comprata una per il tuo sedere!

Detto questo Sophie si voltò e si fece largo tra la folla, andandosene il più in fretta possibile. La risata di Saman le risuonava nelle orecchie.

12
Un nuovo lavoro

IL GIORNO DI MERCATO, Gidaado non passò a casa di Sophie; lei andò a cercarlo al mercato degli animali e lo trovò lì con Chobbal, non lontano dagli altri venditori di cammelli. Fu sorpresa di quanto fosse tranquillo.

– Non sei arrabbiato? – gli chiese.

– Un po' – le rispose. – Ma non posso fare più niente, no?

– Potresti strangolare Saman, tanto per iniziare. Guarda, sta arrivando.

– No – disse Gidaado con calma. – È proibito dalle regole della gara strangolare il vincitore. E poi... è più grosso di me.

– Ti avverto – disse Sophie, torcendosi le dita. – Se non lo fai tu, lo farò io!

Sam Saman si diresse verso di loro. Indossava un nuovo paio di scarpe lucide e mangiava una banana.

– *Salam alaykum* – disse Saman.

– *Alaykum asalam* – rispose Gidaado.

– Vendi il cammello?

– Sì.

– Tempi duri, non è vero?

– Sì.

– Ti farò un favore – disse Saman. – Dammi il cammello albino e io ti darò il resto di questa banana.

Sophie aprì la bocca per dire qualcosa, ma la sua attenzione fu catturata da una macchina di grossa cilindrata che entrava di corsa nel cancello del mercato. Che stava succedendo? Di solito le macchine non potevano circolare in mezzo agli animali.

Il fuoristrada girò per un po', poi si fermò proprio di fronte a loro. La portiera del passeggero si aprì e ne uscì un uomo in uniforme militare. Poi si aprirono le portiere posteriori e scesero altre due persone. Una delle due era un uomo gigantesco vestito di nero, l'altra era una ragazzina dai capelli rossi e una borsa di pelle di cammello. Sophie sbuffò non appena riconobbe Marie.

– *Bon soir* – disse l'uomo in uniforme allungando una mano grande verso Gidaado. – Mi hanno detto che potevo trovarti qui.

– *Alaykum asalam* – disse Gidaado, stringendo la mano dell'uomo e fissando a bocca aperta le medaglie appuntate sulla sua uniforme. Erano accuratamente appese su tre strisce di pelle e luccicavano al sole abbagliante di mezzogiorno.

– È lui? – chiese l'uomo in francese.
Marie annuì.

– E lei è la sua traduttrice?

– Sì – rispose Marie.

– Come ti chiami, piccola traduttrice? – chiese l'uomo, porgendo la sua mano a Sophie.

– Sophie – rispose lei, stringen-dogliela.

– E io sono il generale Alai Crêpe-Sombo – disse l'uomo. – Hai già cono-sciuto mia figlia, vero?

– Sì – rispose Sophie.

– Lui è Pougini, la mia guardia del corpo – disse il generale.

Sophie guardò il gigante e notò che aveva una specie di manganello appeso alla cintura.

– Sophie, – disse il generale – di' al tuo amico che ho ascoltato la sua cassetta tutta la settimana. Marie la sentiva in ca-mera sua a volume così alto, che tutti in casa eravamo costretti ad ascoltarla.

Sophie tradusse le parole del gene-rale in fulfulde e Gidaado spalancò gli occhi.

– È venuto per farmi fuori? – disse.

– Speriamo – disse Saman, ammiran-do il manganello del gigante. Saman non capiva il francese, ma ascoltava la tradu-zione di Sophie con grande interesse.

– Di solito, – continuò il generale – la musica che ascolta Marie non mi piace. A lei piace il *rap*, una musica che odio più dello scherno di un'armata nemica sulla riva più lontana di un fiume in piena.

Sophie tradusse e Gidaado annuì con grande comprensione.

– Ma *tu*, – disse il generale, dandogli un colpetto sul petto – *tu* mi piaci.

Quando Sophie tradusse, Gidaado gonfiò le guance per il sollievo.

– Non capisco il fulfulde, – disse il generale – ma so distinguere un bravo griot quando ne sento uno, e mia figlia dice che sei il miglior griot della provincia di Oudalan.

Sophie tradusse. Gidaado rise modestamente e scoccò un'occhiata adorante verso la figlia del generale.

– No, non lo è! – gridò Saman, facendosi avanti. – Non è nemmeno più un vero griot. È solo uno strillone di cose scomparse che usa un *hoddu*.

– Che sta dicendo questo ragazzo? – chiese il generale.

– Se non le spiace, preferirei non tradurlo. Non sono cose gentili.

Il generale guardò Saman e continuò. – La scorsa settimana ho lanciato la mia campagna elettorale per diventare presidente di questo paese. Ho grande sostegno a Ouagadougou e al sud, ma ho bisogno di persone che votino per me anche qui al nord. La gente deve capire che *io* sono l'uomo che risolverà i suoi problemi e darà la speranza per il futuro.

Sophie tradusse per Gidaado e lui annuì entusiasta come se ci credesse davvero.

– Prima, – continuò il generale Crêpe-Sombo – un uomo che voleva diventare il capo, pagava un griot che cantasse le sue lodi. Il griot lo avrebbe seguito ovunque andava, cantando che brava persona era. Per la mia campagna a Gorom-Gorom voglio un griot così.

Mentre Sophie traduceva, capì im-

provvisamente cosa il generale volesse dire: stava offrendo a Gidaado un lavoro come cantante di elogi, il più alto onore per un griot. E tutto per quella cassetta che avevano registrato.

Anche Saman aveva capito. – Scegli me, scegli me! – urlava, saltando da un piede all'altro e sventolando le mani sul viso del generale. – Io sono un griot: canto, suono l'*hoddu*, danzo. Sono nato in questa città, e qui conosco tutti. La gente mi ascolterà. Se mi scegli non puoi *non* vincere le elezioni!

Il generale lo guardava perplesso.

– Cosa sta cercando di dire questo ragazzo insolente? – chiese il generale.

Sophie guardò per terra e smosse un po' la sabbia con il piede.

– Preferirei non tradurlo.

– Ti *ordino* di dirmelo! – disse il generale. – Cosa mi sta dicendo?

– E va bene, ma voglio che sappia che io e Gidaado non siamo d'accordo con quello che dice.

– Dimmelo! – disse il generale, respirando pesantemente con il naso.

Sophie sospirò profondamente e nel suo francese migliore disse: – Va' a casa. Va' a casa. Puzzi di scinco morto. Le tue medaglie forse sono rubate. Va' via dalla città e portati via tua figlia che ha la faccia che somiglia a un cammello. Non piaci a nessuno qui. Nessuno ti ascolterà. Striscia nel tuo buco, non vincerai mai le elezioni.

La bocca del generale si aprì e gli occhi gli si spalancarono, emise un grugnito di rabbia e si voltò verso la guardia del corpo.

– Pougini, – gridò – acciuffa questo ragazzo e fagli quello che facesti al tenente Aladad lo scorso giovedì.

Il gigante tirò fuori il manganello e avanzò verso Saman.

– Che sta facendo? – urlò lui.

– Sta dicendo che non gli fai paura – disse Sophie candidamente. – Dice che sei soltanto un ridicolo scimmione.

Il gigante grugnì e si allungò per prendere Saman, ma lui non aspettò, schivò
la mano e, strillando, scappò via più
veloce di un *suricato*.

La guardia del corpo lo inseguì bran-
dendo il manganello in aria e urlando
minacce terribili in francese, incluse
tante parole che Sophie non aveva im-
parato a scuola.

– Torniamo agli affari – disse il generale

speditamente. – Signor Gidaado, vorrei che diventasse il mio cantante di elogi per i prossimi sei mesi; vorrei che cantasse inni, danzasse e parlasse in modo tale da farmi piacere alla gente. Pensa di poterlo fare?

Sophie si rivolse a Gidaado. – Vuoi lavorare per quest'uomo? – gli chiese in fulfulde.

– Sei impazzita! – esclamò lui. – Ma certo che sì!

– Dice *dipende* – disse Sophie in francese rivolgendosi al generale. – Vuole sapere quanto gli sta offrendo.

– Ventimila al mese – disse il generale.

– Dice che ti darà ventimila franchi al mese – disse Sophie a Gidaado.

– Stai scherzando? – urlò Gidaado. – È fantastico!

– Dice che sta scherzando – disse Sophie al generale. – Ne vuole almeno cinquanta.

– Trentacinque – replicò il generale.

– Il generale alzerebbe la cifra a

trentacinquemila al mese – disse Sophie a Gidaado.

– *Zorki!* – esclamò Gidaado.

– Dice quaranta – disse Sophie al generale.

Il generale guardò Gidaado e sospirò.

– Il signor Gidaado impone dure condizioni, ma accetto. Quarantamila al mese per sei mesi, più due magliette di Alai Crêpe-Sombo. Affare fatto?

Sophie sorrise al generale. – Affare fatto – disse.

Le ombre del giorno si allungarono, poi sparirono e il sole diventò color cremisi.

Sophie e Gidaado erano seduti sulla ghiaia fuori dalla casa di Sophie, sgusciando noccioline e ascoltando il *Greatest Hits* di Ali Farka Touré. Dietro di loro, Chobbal masticava con aria colpevole i girasoli del papà di Sophie.

– Quarantamila al mese per sei mesi! – stava dicendo Gidaado. – È abbastanza

per far vivere tutto il villaggio. Aspetta che lo sappia zio Ibrahiim.

– Non pensi che voglia ancora vendere Chobbal, vero? – chiese Sophie.

– Vendere Chobbal? Impossibile! Lo bacerà, invece!

Sophie rise. Considerando che mese triste era stato, le cose erano cambiate quasi in meglio.

Gidaado e la sua famiglia non avrebbero più avuto fame, sua nonna avrebbe avuto le medicine e con Gidaado al servizio del generale Alai Crêpe-Sombo, Sam Saman sarebbe stato lontano da loro per un bel po'.

Sophie cambiò cassetta e la profonda *Mi manchi Coda Sporca* echeggiò sui tetti ricoperti di Gorom-Gorom. Una lucertola dal collo rosso corse verso di loro e, guardandosi intorno, ballonzolava su e giù, come se stesse ballando.

– I tuoi giorni come strillone di mucche scomparse sono finiti. Dovresti essere contento – disse Sophie.

– Non proprio. Fare lo strillone era bello. Spero che smetterai di disprezzarlo.

Sophie gettò una manciata di gusci di noccioline su Gidaado e lui rise.

– Gidaado – gli disse. – Ti ricordi cosa mi dicesti della Gioia? Che somiglia alle gocce di latte che saltano fuori dal secchio e ti bagnano la faccia e le braccia?

– Sì. Ma mi dicesti che non sapevi che cosa volesse dire.

Sophie sorrise. – Sto cominciando a capirlo.

Indice